8

Tanzlied

(um 1600)

Schnell

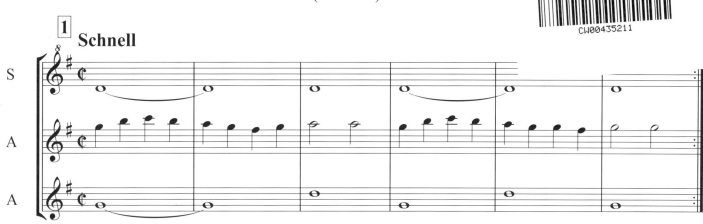

UE 35 731

Ich hab die Nacht geträumet

aus: „Eyn feyner kleyner Almanach" (1777)

Philipp Nicolai
(1556–1608)
Satz: Johannes Brahms

Ich hörte ein Sichlein rauschen

aus Franken
Satz: Johannes Brahms

6

Es waren zwei Königskinder

Schwedisches Volkslied
Satz: Johannes Brahms

Schwesterlein

(nach einem Volkslied)

Anton Wilhelm von Zuccalmaglio
(1803–1869)
Satz: Johannes Brahms

Saltarello
(um 1400)

aus Italien
arr. Sylvia Corinna Rosin

UE 35 731

D.S. al Coda

Parrots of the Caribbean

Sylvia Corinna Rosin
(*1965)

UE 35 731

Loch Lomond

Traditional
arr. Irmhild Beutler

Universal Edition UE 35 731

Loch Lomond

Traditional
arr. Irmhild Beutler

Universal Edition UE 35 731

Parrots of the Caribbean

Sylvia Corinna Rosin
(*1965)

UE 35 731

D.S. al Coda

33 Coda

Saltarello
(um 1400)

aus Italien
arr. Sylvia Corinna Rosin

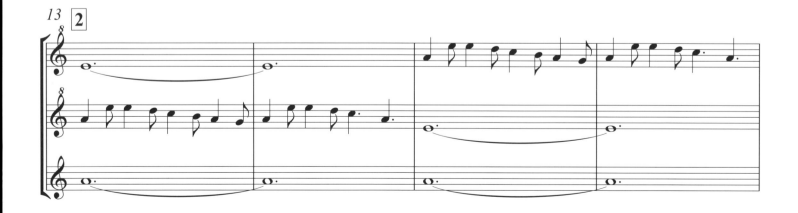

UE 35 731

5

Es waren zwei Königskinder

Schwedisches Volkslied
Satz: Johannes Brahms

Schwesterlein

(nach einem Volkslied)

Anton Wilhelm von Zuccalmaglio
(1803–1869)
Satz: Johannes Brahms

UE 35 731

Ich hab die Nacht geträumet

aus: „Eyn feyner kleyner Almanach" (1777)

Philipp Nicolai
(1556–1608)
Satz: Johannes Brahms

Ich hörte ein Sichlein rauschen

aus Franken
Satz: Johannes Brahms

UE 35 731

Tanzlied

(um 1600)

Valentin Haussmann
(um 1560–um 1614)
arr. Sylvia Corinna Rosin

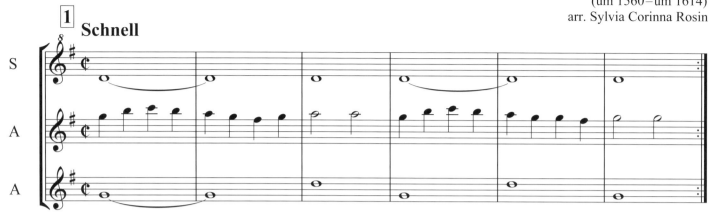

UE 35 731

recorder trio
Blockflötentrio *Junior*
Ensemble Dreiklang Berlin

1

für Sopran- und Altblockflöten
for soprano and alto recorders

Ensemble Dreiklang Berlin, Blockflötentrio Junior 1

Cover design by drevseiterweiter

UE 35 731
ISMN 979-0-008-08482-9
UPC 8-03452-06862-4
ISBN 978-3-7024-7151-4

Inhalt · Contents · Table des matières

Vorwort

Die Reihe *Blockflötentrio Junior* ist für den Einstieg in das Blockflötentrio-spiel konzipiert und bietet hierfür ansprechende Literatur in den Besetzungen Sopran – Sopran – Alt und Sopran – Alt – Alt.

Das stilistische Spektrum ist weit gefächert und umfasst Arrangements und Originalkompositionen aus den Bereichen Klassik, Folklore und Unter-haltungsmusik. In jedem Heft gibt es kurze Erläuterungen zu den Stücken sowie Hinweise zu alternativen Besetzungsmöglichkeiten, so dass zusätzlich auch Tenor- und Bassblockflöten verwendet werden können.

Blockflötentrio Junior führt hin zur Trio-Reihe *Ensemble Dreiklang Berlin*, in der alle Instrumente der Blockflötenfamilie unterschiedlich kombiniert werden.

Wir wünschen viel Vergnügen beim Musizieren!

Irmhild Beutler und Sylvia Corinna Rosin
Berlin, Juli 2012

Zu den Stücken

Das schottische Volkslied *Loch Lomond* besingt die Schönheit des Sees Loch Lomond und erzählt vom Ende einer Liebe.

Parrots of the Caribbean beschreibt in seiner synkopischen Beschwingtheit die aufgeregte Stimmung karibischer Papageien. Die Akzente in Takt 12 können mit Sputato gespielt werden, die Takte 4 und 8 mit Flatterzunge.

Der ursprünglich einstimmige mittelalterliche Spielmannstanz *Saltarello* gehört zu den ersten schriftlich überlieferten weltlichen Kompositionen Europas.

Die vier von Johannes Brahms gesetzten Volkslieder entstammen der Zeit der Romantik. In ihnen werden Themen des Un- und Unterbewussten in märchenhaften Bildern dargestellt:

Das schwedische Volkslied *Es waren zwei Königskinder* erzählt von einem Prinzen und einer Prinzessin, die einander lieben, aber durch ein tiefes Gewässer getrennt sind. Bei dem Versuch, das Wasser nachts schwimmend zu durchqueren, ertrinkt der Prinz, denn eine falsche Schicksalsgöttin löscht das Licht, das die Prinzessin zur Orientierung aufgestellt hat. Aus Kummer darüber ertränkt sich die Prinzessin.

Das Volkslied *Schwesterlein* gibt ein Zwiegespräch zwischen einem Mädchen und seinem Bruder wieder: Das Mädchen ist kurz davor zu sterben und besteht darauf, ein letztes Mal mit ihrem Liebsten zu tanzen, bevor sie sich von ihrem Bruder zu ihrem Grab leiten lässt.

In *Ich hab die Nacht geträumet* besingt eine Frau einen schlimmen Traum: Ihr Garten ist ein Friedhof, ihr Baum verliert Blüten und Blätter, ihr goldener Krug zerbricht und heraus rinnen Perlen, so rot wie Blut. Nun ist sie bekümmert und befürchtet, dass ihr Liebster gestorben ist.

In dem Volkslied *Ich hörte ein Sichlein rauschen* steht das Mähen des Korns zur Erntezeit sinnbildlich für das Ende einer Liebe: Ein junges Mädchen bleibt allein mit schmerzendem Herzen zurück. Ein anderes Mädchen rät ihr, sich nicht um das Rauschen der Sichel zu kümmern, und erzählt von ihrem Geliebten, den sie sich im Frühsommer („zwischen Veilchen und Klee") geangelt hat.

Dem *Tanzlied* liegt das Volkslied *Tanz mir nicht mit meiner Jungfer Käthen* zugrunde, in dem ein junger Mann scherzhaft seinen Bruder ermahnt, ja nicht mit seiner Käthe anzubandeln, sonst würde er ihm im Gegenzug seine Grete wegschnappen.

Preface

The *Recorder Trio Junior* series provides material for those playing in a recorder trio for the first time, offering interesting literature for soprano – soprano – alto and soprano – alto – alto recorders.

The stylistic spectrum is broad and encompasses arrangements and original compositions ranging from classical to folk and popular music. Each book includes short explanations about the pieces as well as tips for alternative instrumentations allowing tenor and bass recorders to be used.

Recorder Trio Junior leads to the trio series *Ensemble Dreiklang Berlin*, in which all the instruments of the recorder family are combined in various ways.

Enjoy your music making!

Irmhild Beutler and Sylvia Corinna Rosin
Berlin, July 2012

The pieces

The Scottish folk song *Loch Lomond* is about the beauty of Loch Lomond and the end of a love.

The syncopated swing of *Parrots of the Caribbean* portrays the excitement of Caribbean parrots. The accents in bar 12 can be played sputato while flutter tonguing can be used in bars 4 and 8.

The *Saltarello* was originally a medieval dance for one instrument and is one of the oldest surviving secular European compositions.

The four folk songs that Johannes Brahms set come from the romantic period. They portray themes of the un- and subconscious in fairytale images:

The Swedish folk song *Es waren zwei Königskinder* (There were Two Royal Children) tells the story of a prince and a princess who love each other but are separated by deep water. When the prince tries to swim across one night he drowns when an evil goddess extinguishes the light the princess had put in place to help him find his way. In her grief the princess drowns herself.

The folk song *Schwesterlein* (Little Sister) is a dialogue between a girl and her brother. The girl is about to die and insists on dancing with her beloved one last time before her brother leads her to her grave.

In *Ich hab die Nacht geträumet* (Last Night I Dreamt) a woman sings about a nightmare. Her garden is a cemetery, her tree loses its blossoms and leaves, her golden jug breaks and from it fall blood-red pearls. She is anxious and fears her beloved has died.

In the folk song *Ich hörte ein Sichlein rauschen* (I Heard a Sickle Rustling) the mowing of the wheat at harvest time represents the end of a love. A young girl is left behind with an aching heart. Another girl advises her not to worry about the sound of the sickle and recalls how she found her beloved in early summer ('amid violets and clover').

The *Tanzlied* (Dance) is based on the folk song *Tanz mir nicht mit meiner Jungfer Käthen* (Do not Dance with my Maiden), in which a young man jokingly warns his brother not to fool around with his beloved, Käthe, or he in turn will take away Grete, the brother's beloved.

Préface

Conçue pour initier les jeunes flûtistes à la pratique du trio, la série *Trios de flûtes à bec Junior* propose des pièces pour soprano 1 / soprano 2 / alto et soprano / alto 1 / alto 2.

Les styles représentés sont très variés, avec des compositions originales et des arrangements tirés du classique, du répertoire populaire et de la musique légère. Chaque recueil s'accompagne de brèves explications sur les pièces et d'indications sur les répartitions possibles (avec ajout de flûtes ténor ou basse).

Trios de flûtes à bec Junior prépare à la série *Ensemble Dreiklang Berlin*, d'un niveau plus avancé, qui propose diverses combinaisons de toute la famille des flûtes à bec.

Nous vous souhaitons beaucoup de plaisir à jouer !

Irmhild Beutler et Sylvia Corinna Rosin
Berlin, Juillet 2012

Les pièces

Loch Lomond, chanson populaire écossaise, chante à la fois la beauté du lac (loch) Lomond et la fin tragique d'une histoire d'amour.

Léger et syncopé, *Parrots of the Caribbean* décrit l'humeur joyeuse des perroquets des Caraïbes. Les accents à la mesure 12 peuvent être joués en slap, les mesures 4 et 8 en flatterzunge.

Le *Saltarello* est une danse de ménestrel médiévale, à l'origine à une seule voix, qui compte parmi les tout premiers airs profanes européens dont la trace écrite nous soit parvenue.

Viennent ensuite quatre chansons populaires allemandes arrangées par Johannes Brahms. Caractéristiques de l'époque romantique, elles évoquent l'inconnu et le subconscient à travers l'imagerie des contes :

Es waren zwei Königskinder (« Il était deux enfants de roi »), chanson d'origine suédoise, raconte l'histoire d'un prince et d'une princesse qui s'aiment, mais sont séparé par un profond cours d'eau. Dans la nuit, le prince tente de traverser à la nage, mais se noie : une déesse infernale a éteint la flamme allumée par la princesse pour l'aider à s'orienter. De chagrin, celle-ci se noie à son tour.

Schwesterlein (« Petite sœur ») est un dialogue entre une jeune fille et son frère : la jeune fille, qui va bientôt mourir, tient à danser une dernière fois avec le garçon qu'elle aime avant que son frère ne l'enterre.

Dans *Ich hab die Nacht geträumet* (« J'ai rêvé cette nuit »), une femme affolée raconte le rêve funeste qu'elle vient de faire : son jardin est un cimetière, un arbre perd ses feuilles et ses fleurs, sa cruche dorée se brise et laisse échapper des perles rouges comme le sang. La chanson s'achève par cette question : « Mon amour, es-tu mort ? ».

Dans *Ich hörte ein Sichlein rauschen* (« J'ai entendu siffler une faucille »), le blé fauché au moment de la moisson symbolise la fin d'un amour : une jeune fille en reste le cœur brisé. Une autre lui conseille de ne pas s'en préoccuper et lui parle de son amant, qu'elle a rencontré au début de l'été (« entre le trèfle et la violette »).

La *Tanzlied* (« Chanson à danser ») s'inspire de l'air populaire *Tanz mir nicht mit meiner Jungfer Käthen* (« Ne va pas danser avec ma Cathie ») : en plaisantant, un jeune homme prévient son frère que s'il commence à s'intéresser à sa fiancée, il se vengera en lui prenant sa Grete.

Besetzungsmöglichkeiten

Die Stücke in diesem Heft können außer in den Grundbesetzungen Sopran – Sopran – Alt und Sopran – Alt – Alt auch mit tieferen Blockflöten (Tenor und Bass) musiziert werden. Es ergeben sich vielfältige Besetzungsmöglichkeiten, die in der folgenden Übersicht aufgelistet sind. Die dritte Stimme kann bei einigen Stücken mit einer Tenorflöte gespielt werden. Es können auch Stimmen in Oktaven gedoppelt werden, z.B. indem die dritte Stimme gleichzeitig mit Alt- und Bassflöte gespielt wird. Auf diese Weise können Schüler auch leicht an die Tenor- und Bassblockflöte herangeführt werden, da die Bassflöte einfach mit Altgriffen im Violinschlüssel gelesen werden kann. Jedes Ensemble möge die für sich passende und klanglich schönste Besetzung auswählen!

Possible instrumentations

Apart from the basic instrumentations Soprano – Soprano – Alto and Soprano – Alto – Alto the pieces in this book can also be played on the lower recorders (Tenor and Bass). A variety of possible instrumentations are listed in the summary below. In a few cases the third part can be played by a tenor recorder. It is also possible to double the parts at the octave, e.g. by playing the third voice simultaneously on an alto and a bass recorder. In this way students can readily be introduced to the tenor and bass recorder as the bass recorder can easily be played in the treble clef using alto fingerings. Each ensemble can therefore choose the instrumentation that best suits it and offers the best sound.

Répartitions possibles

Outre les configurations de base (deux sopranos et une alto, une soprano et deux altos), les pièces de ce recueil peuvent faire appel à des flûtes plus graves (ténor et basse). Le tableau suivant donne un aperçu des répartitions possibles. Sur certaines pièces, la troisième voix peut être assurée par une flûte ténor. Les voix peuvent aussi être doublées à l'octave, par exemple avec une troisième voix jouée à la fois à l'alto et à la basse. C'est un bon moyen de présenter les flûtes ténor et basse aux élèves : la basse peut être tout simplement jouée en clé de sol, avec les doigtés de l'alto. En fonction de vos moyens, à vous de choisir la répartition qui sonnera le mieux !

Loch Lomond

- S – S – A (+B)
- S – S – T (+B)
- S – S – B
- S – T – B
- A – T – B
- T (+S) – T – B

Saltarello

- S – S – A (+B)
- S – S – T (+B)
- S – S – B
- S – T – B
- T (+S) – T – B

Schwesterlein

- S – A – A (+B)
- S – A – T (+B)
- S – T – T (+B)
- S – A – B
- S – T – B
- S (+T) – B – B
- T (+S) – B – B

Ich hörte ein Sichlein rauschen

- S – A – A (+B)
- S – A – T (+B)
- S – T – T (+B)
- S – A – B
- S – T – B
- S (+T) – B – B
- T (+S) – B – B

Parrots of the Caribbean

- S – S – A (+B)
- S – S – B
- S – T – B
- T (+S) – T – B

Es waren zwei Königskinder

- S – S – A (+B)
- S – S – T (+B)
- S – S – B
- S – T – B
- T (+S) – T – B

Ich hab die Nacht geträumet

- S – A – A (+B)
- S – A – T (+B)
- S – T – T (+B)
- S – A – B
- S – T – B
- S (+T) – B – B
- T (+S) – B – B

Tanzlied

- S – A – A (+B)
- S – A – T (+B)
- S – T – T (+B)
- S – A – B
- S – T – B
- S (+T) – B – B
- T (+S) – B – B

Loch Lomond

Traditional
arr. Irmhild Beutler

Fine

D.S. al Fine

Universal Edition UE 35 731

Parrots of the Caribbean

Sylvia Corinna Rosin
(*1965)

UE 35 731

17

22

27

D.S. al Coda

33 Coda

Saltarello
(um 1400)

aus Italien
arr. Sylvia Corinna Rosin

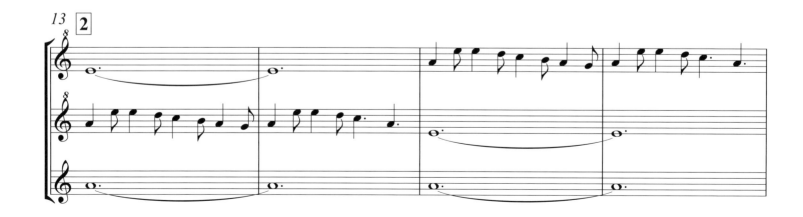

UE 35 731

Es waren zwei Königskinder

Schwedisches Volkslied
Satz: Johannes Brahms

Schwesterlein
(nach einem Volkslied)

Anton Wilhelm von Zuccalmaglio
(1803–1869)
Satz: Johannes Brahms

UE 35 731

Ich hab die Nacht geträumet

aus: „Eyn feyner kleyner Almanach" (1777)

Philipp Nicolai
(1556–1608)
Satz: Johannes Brahms

Ich hörte ein Sichlein rauschen

aus Franken
Satz: Johannes Brahms

UE 35 731

Tanzlied
(um 1600)

Valentin Haussmann
(um 1560 – um 1614)
arr. Sylvia Corinna Rosin

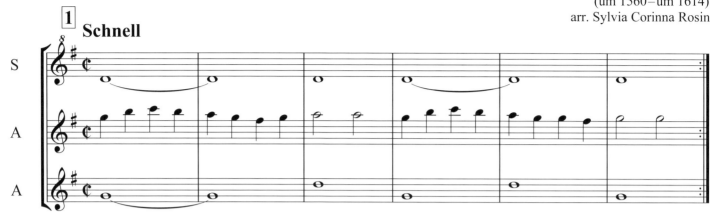

UE 35 731

Sylvia Corinna Rosin
Irmhild Beutler

Irmhild Beutler und Sylvia Corinna Rosin sind Autorinnen und Herausgeberinnen einer Vielzahl von Notenausgaben für Blockflöte, in denen sie ihre eigenen Kompositionen und Arrangements veröffentlichen. Als Spielerinnen sind sie bekannt durch ihre Konzerte, CDs und Workshops mit dem Blockflötentrio *Ensemble Dreiklang Berlin*.

Irmhild Beutler and Sylvia Corinna Rosin are the authors and editors of many books for recorder in which they publish their own compositions and arrangements. They are well known for their concerts, CDs and workshops with the recorder trio *Ensemble Dreiklang Berlin*.

Ensemble Dreiklang Berlin

Blockflötentrio Junior • Recorder Trio Junior

Band 1 • Volume 1   UE 35731
Loch Lomond – Parrots of the Carribbean – Saltarello – Es waren zwei Königskinder –
Schwesterlein – Ich hab die Nacht geträumet – Ich hörte ein Sichlein rauschen – Tanzlied

Band 2 • Volume 2   UE 35732   *erscheint Juli 2013 • available July 2013*

Blockflötentrio • Recorder Trio

Alla Turca • Presto (AT(A)B) • UE 31471
The Bare Necessities • Oh Happy Day (SA(T)B) • UE 31472
Rondeau – Bourrée – Menuet – Badinerie (ATB) • UE 31473
Rudolph, the Red-Nosed Reindeer & other Christmas Carols (SAT(B)) • UE 31474
My Heart Will Go On • Blue Train • Amazing Grace (A(S)TB) • UE 31475
Le Tic-Toc-Choc • Das Butterbrot • Elfentanz (SAA) • UE 31476
Kriminaltango • Tea for Three (S(A)AB) • UE 31477
The Little Negro • Trotto • Uncle Knick-Knack (AAT(B)) • UE 31478
Aura Lee • Coon Hollow Capers (A(S)TB) • UE 31479

Workshop Bassblockflöte • Workshop Bass Recorder

mit Playback-CD • with playback-CD
Anleitung zum Bassblockflötenspiel • instruction for playing the bass recorder
Ensemblestücke für 2–5 Blockflöten • 2–5 part recorder ensemble pieces

Band 1 • Volume 1   UE 31970
Ungaresca – Petruschka – Les Bouffons – Bransle des Lavandières – Scarborough Fair
Band 2 • Volume 2   UE 31971
Dindiridin – Greensleeves – Matteson: Menuet – Un poquito canto – Pärt: Pari intervallo
Band 3 • Volume 3   UE 31972
Mendelssohn Bartholdy: Engel-Terzett – Joshua Fit the Battle of Jericho – Telemann: Andante

Weitere Publikationen • Further publications

Erik Satie, 3 Gymnopédies transkribiert für Blockflöte (T / S / A) und Klavier •
transcribed for recorder (T / S / A) and piano • UE 32922

Arvo Pärt, Summa transkribiert für Blockflötenquartett (SATB / TBBGb) •
transcribed for recorder quartet (SATB / TBBGb) • UE 33030

150 Classical Studies from the famous Frans Vester Flute-Collection • für Altblockflöte •
for alto recorder • UE 33029